이유있는 초이스 바른글씨 뽐내기 2단계

중앙입시교육연구원

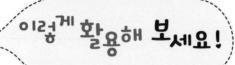

이렇게 활용해 보세요!

1 단원의 시작

학습을 시작하기 전, 글과 그림을 보고 공부할 단원의
학습 목표를 미리 떠올려 봅니다.

2 낱말 쓰기

다양하고 재미있게 구성되어 있는 낱말을 또박또박
읽으면서 글씨를 바르게 써 봅니다.

3 따라 쓰기

문장의 뜻을 생각하면서 바른 자세로 투명 종이를 덮어
글씨를 바르게 따라 써 봅니다.

4 글씨 쓰기

해당 단원에서 공부한 낱말과 문장을 글자의 모양을
생각하며 빈칸에 반복하여 쓰면서 충실한 글씨 쓰기
연습을 하여 봅니다.

5 자음·모음 쓰기

한글은 자음과 모음의 결합 위치에 따라 모양이 조금씩
달라지므로 자음자와 모음자를 결합하는 방법을 익혀
바르고 예쁜 글씨를 써 봅니다.

6 문장 쓰기

'국어'에서 공부한 것과 관련된 여러 가지 이야기로
구성된 글을 쓰며, 낱말과 문장도 익히고 받아쓰기
시험에도 대비하여 봅니다.

7 배운 내용 정리하기

한 단원을 마치고 난 후, 공부한 내용을 간단히
정리할 수 있는 문제를 통해 한 번 더 복습하여 봅니다.

8 놀며 생각하기

재미있고 간단한 놀이를 통해 더욱 흥미롭고
창의적인 생각을 키웁니다.

차례 2단계

1 재미있는 말

반복되는 말을 알아봅시다.

※ 다음 그림을 보고 생각나는 반복되는 말을 바르게 써 봅시다.

지렁이가 　꿈틀꿈틀　 거리다.

비가 　주룩주룩　 내리다.

아이들이 신이 나서 　펄쩍펄쩍　 뛰다.

강아지가 꼬리를 　살랑살랑　 흔든다.

이 단원에서는 재미있는 말을 중심으로 바르고 예쁘게 글을 써 봅시다.

1 다음 미로에서 길을 찾아가면서, 반복되는 말이 나오면 바르게 써 봅시다.

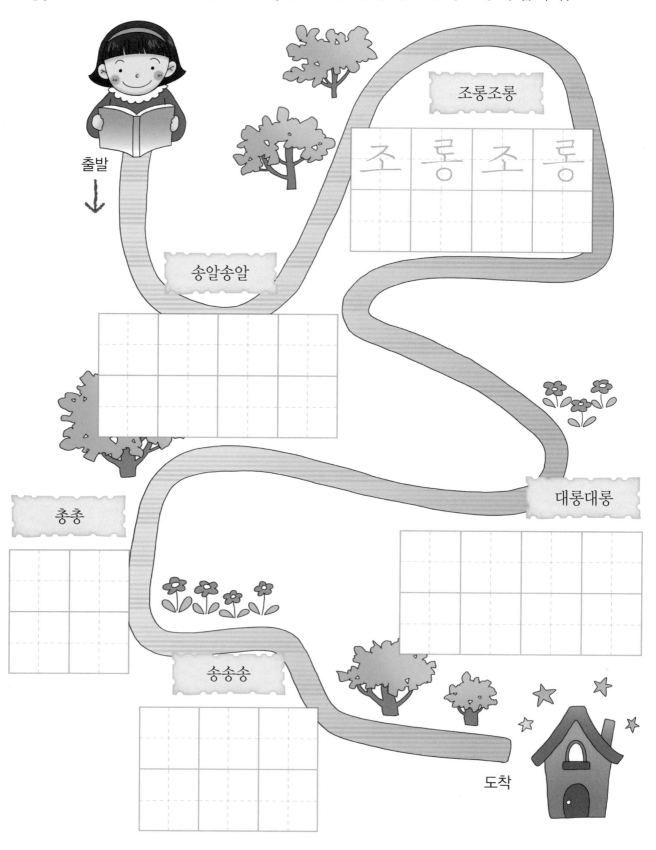

출발

조롱조롱

조	롱	조	롱

송알송알

총총

송송송

대롱대롱

도착

❶ 여러 가지 모습을 표현하는 낱말을 바르게 써 봅시다.

반	짝	반	짝
반	짝	반	짝

새	근	새	근
새	근	새	근

오	목	오	목
오	목	오	목

송	이	송	이
송	이	송	이

쪼	르	르
쪼	르	르

볼	볼
볼	볼

펄	펄
펄	펄

1 시 〈호랑나비〉의 내용을 바르게 써 봅시다.

호	랑	나	비		호	랑	호	랑
호	랑	나	비		호	랑	호	랑
봄	이		왔	다		호	랑	호	랑
봄	이		왔	다		호	랑	호	랑
꽃	이		폈	다		호	랑	호	랑
꽃	이		폈	다		호	랑	호	랑

❶ 시 〈구슬비〉의 내용을 투명 종이 위에 따라 써 봅시다.

	구	슬	비		
			권	오	순
	송	알	송	알	싸 리 잎 에 ∨
은	구	슬			
	조	롱	조	롱	거 미 줄 에 ∨
옥	구	슬			
	대	롱	대	롱	풀 잎 마 다 ∨
총	총				
	방	긋	웃	는	꽃 잎 마
다	송	송	송		

1 시 〈까치〉의 내용을 바르게 써 봅시다.

			까	치			
			까	치			
책	책	책		책	책	책	책
책	책	책		책	책	책	책
응	원	을		하	나	봐	요
응	원	을		하	나	봐	요
삼	삼	칠		박	수	를	
삼	삼	칠		박	수	를	

어디서　배웠을까

꼬리를

흔들어　대며

책 책 책 책　책 책 책

2 시 〈영치기 영차〉의 내용을 바르게 써 봅시다.

깜	장		흙		속	의		푸
른		새	싹	들	이			
	흙	덩	이	를		떠	밀	고
나	오	면	서					
	히	-	영	치	기		영	차
	히	-	영	치	기		영	차

① 다음 그림을 보고, 그림에 알맞은 말을 **보기**에서 골라 빈칸에 써넣어 봅시다.

> **보기**
>
> 반짝반짝   호랑호랑   새근새근   오목오목   펄펄

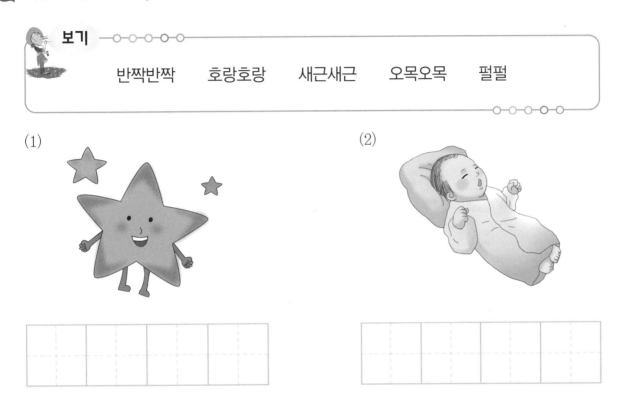

(1)

(2)

② 다음 문장을 바르게 옮겨 써 봅시다.

> 어린아이가 엄마에게 쪼르르 달려간다.

어	린	아	이	가		엄	마	에
게		쪼	르	르		달	려	간	다 .

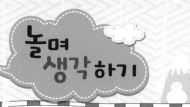

● 숫자 문장 만들기

 다음 **보기**는 '숫자송'의 일부입니다. **보기**와 같이 숫자를 이용하여 문장을 만들어 봅시다.

보기

1초라도 안 보이면 2(이)렇게 초조한데 ♫

3초는 어떻게 기다려 ♫♫♫♫

4(사)랑해 널 사랑해 5(오)늘은 말할 거야. ♪

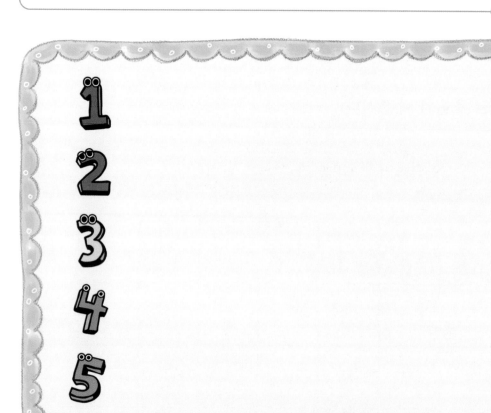

2 낱자 익히기

 글자 모양을 알아봅시다.

※ 글자 모양은 다음과 같이 다양합니다.

※ < 모양의 글자로 이루어진 낱말을 살펴봅시다.

이 단원에서는 한글 낱자와 함께 글자 모양을 알아봅시다.

자음 · 모음 쓰기

❶ 다음 빈칸에 알맞은 글자를 써넣어 표를 완성해 봅시다.

모음자 / 자음자	ㅐ	ㅒ	ㅔ	ㅖ	ㅘ	ㅚ	ㅝ	ㅟ	ㅢ	ㅙ	ㅖ
ㄱ	개										
ㄴ		내									
ㄷ			데								
ㄹ				례							
ㅁ					마						
ㅂ						뵈					
ㅅ							쉬				
ㅇ							외	위			
ㅈ					좌				즤		
ㅊ				쳬						쵀	
ㅋ			케								퀘
ㅌ		태									
ㅍ	패										
ㅎ											

❶ 글 〈백두산 장생초〉의 내용을 투명 종이 위에 따라 써 봅시다.

아	주		오	랜		옛	날,
백	두	산		아	래		외	딴
마	을	에		어	머	니	와		아
들	이		살	았	습	니	다.		아
들	은		산	에	서		나	무	를	∨
해	다		팔	거	나,		품	삯	을	∨
받	고		남	의		일	을		해	∨
주	며		살	아	갔	습	니	다.
	어	머	니	께	서		병	으	로	∨
누	워		지	내	시	는		날	이	∨
많	았	습	니	다.		아	들	은
가	난	하	였	지	만		지	극	한	∨
정	성	으	로		모	셨	습	니	다.

글자 모양 익히기

❶ 다음 중 '가'의 글자 모양으로 옳은 것에 ○표를 해 봅시다.

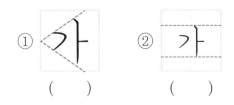

① 가   ② 가
( )   ( )

❷ 글자의 모양이 ＜ 인 글자만 색연필로 색을 칠해 봅시다.

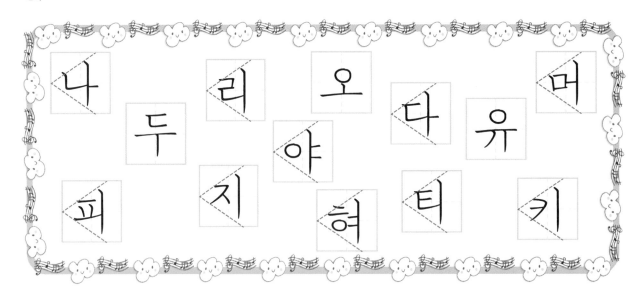

❸ ＜ 모양에 유의하여 글자를 바르게 써 봅시다.

나	리	피	야	지	혀	다	머	타	키
나	리	피	야	지	혀	다	머	타	키

4 다음 중 '고'의 글자 모양으로 옳은 것에 ○표를 해 봅시다.

① 고   ② 고

( )   ( )

5 글자의 모양이 △인 글자만 색연필로 색을 칠해 봅시다.

고 서 조 노 도 모 휴
으 흐 보 르 로
              를

6 △ 모양에 유의하여 글자를 바르게 써 봅시다.

흐 르 으 보 조 도 로 고 노 모

7 다음 낱말을 ＜ 모양의 글자에 유의하여 바르게 써 봅시다.

숙	제	거	실	읽	기	책	어	젯	밤
숙	제	거	실	읽	기	책	어	젯	밤

8 다음 낱말을 ∧ 모양의 글자에 유의하여 바르게 써 봅시다.

소	금	도	둑	도	라	지	호	랑	이
소	금	도	둑	도	라	지	호	랑	이

9 다음 낱말을 ◇ 모양의 글자에 유의하여 바르게 써 봅시다.

콧	잔	등	수	도	수	영	수	리
콧	잔	등	수	도	수	영	수	리

그	릇	부	추	두	부	부	모	님
그	릇	부	추	두	부	부	모	님

자음자 쓰기

1 자음자의 이름을 알아보고, 'ㄲ'부터 'ㅉ'까지 순서에 맞게 써 봅시다.

쌍기역	쌍디귿	쌍비읍	쌍시옷	쌍지읒
ㄲ	ㄸ	ㅃ	ㅆ	ㅉ
ㄲ	ㄸ	ㅃ	ㅆ	ㅉ

자음자의 이름과 쓰는 순서를 생각하며 써 봅시다.

2 다음 낱말을 자음자의 모양에 유의하여 바르게 써 봅시다.

토	기	떡	빵	베	짱	이
토	기	떡	빵	베	짱	이

모음자 쓰기

① 모음자의 이름을 알아보고, 'ㅐ'부터 'ㅙ'까지 순서에 맞게 써 봅시다.

애	에	외	위	와	왜
ㅐ	ㅔ	ㅚ	ㅟ	ㅘ	ㅙ
ㅐ	ㅔ	ㅚ	ㅟ	ㅘ	ㅙ

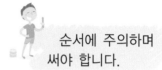

순서에 주의하며
써야 합니다.

② 다음 낱말을 모음자의 모양에 유의하여 바르게 써 봅시다.

달	팽	이
달	팽	이

게
게

돼	지
돼	지

1 글 〈백두산 장생초〉의 내용을 바르게 써 봅시다.

	어	머	니	의		병	이		점
점		심	해	지	자	,	아	들	은 V
어	머	니	의		병	을		낫	게 V
할		좋	은		약	을		구	하
기		위	하	여		마	을	에	서 V
가	장		지	혜	로	운		노	인

을 찾아갔습니다.

　백두산은 노인의

말대로 아주 높고

험한 산이었습니다.

　'장생초를 구할

수 없단 말인가 !'

1 다음 낱말을 받침에 유의하여 바르게 써 봅시다.

품	삯	많	다	까	닭	닮	다
품	삯	많	다	까	닭	닮	다

여	덟	싫	다	값		좋	겠	다
여	덟	싫	다	값		좋	겠	다

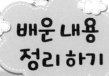

1 글자의 모양에 ◇이 있는 낱말은 어느 것인가요? (　　)

① 오 리　　② 수 건　　③ 정 의

④ 베 개　　⑤ 소 파

2 다음 낱말에서 글자의 모양이 △인 글자가 있는 낱말은 어느 것인가요? (　　)

① 책 상　　② 이 마　　③ 욕 심

④ 선 풍 기　　⑤ 도 라 지

3 다음 낱말을 바르게 써 봅시다.

(1) 진 흙　　(2) 닭 다　　(3) 밟 다

암호를 풀어라.

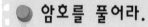 다음 **보기**와 같이 암호를 풀어 봅시다.

보기

❶ '1+3'의 답은 무엇인가요?

답	3	4	5
암호	미	좋	진

❷ 자음자 'ㄱ'은 어떻게 읽나요?

답	기역	니은	디귿
암호	아	짜	안

❸ 동화 '흥부와 놀부'에서 흥부가 다리를 고쳐 준 동물은 무엇인가요?

답	돼지	제비	뱀
암호	야	해	오

★ 암호는? __좋아해__

❶ 동화책의 주인공 '신데렐라'가 지켜야 하는 시간은 몇 시인가요?

답	10시	12시	6시
암호	이	고	사

❷ 자음자 'ㅊ'은 어떻게 읽나요?

답	치읓	치읕	치읓
암호	마	상	랑

❸ 문장 '나는 ○○○ 공부했다.'의 ○○○에 들어갈 알맞은 말은 무엇인가요?

답	나처럼	그런데	열심히
암호	해	봐	워

★ 암호는? _____

3 꾸며 주는 말

 낱자 사이의 간격을 알아봅시다.

※ 낱자 사이의 간격을 살펴봅시다.

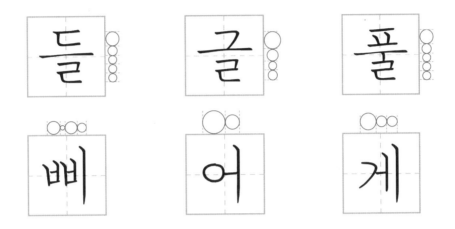

※ 낱자 사이의 간격이 나와 있는 낱말을 살펴봅시다.

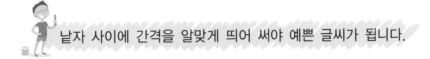
낱자 사이에 간격을 알맞게 띄어 써야 예쁜 글씨가 됩니다.

1 다음 낱말을 낱자 사이의 간격에 유의하여 바르게 써 봅시다.

들   글   풀

들 판
들 판

글 씨
글 씨

물 건
물 건

국 물
국 물

조 약 돌
조 약 돌

풀 밭
풀 밭

1 다음 낱말을 낱자 사이의 간격에 유의하여 바르게 써 봅시다.

| 늘 | 물 | 골 |

| 늘 | 상 |
| 늘 | 상 |

| 샘 | 물 |
| 샘 | 물 |

| 골 | 목 |
| 골 | 목 |

| 물 | 통 |
| 물 | 통 |

| 가 | 늘 | 다 |
| 가 | 늘 | 다 |

| 물 | 풀 |
| 물 | 풀 |

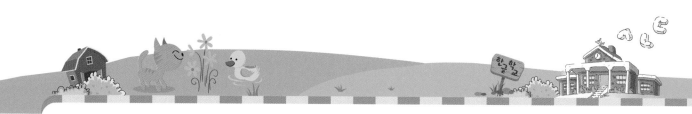

2 다음 낱말을 낱자 사이의 간격에 유의하여 바르게 써 봅시다.

삐

어

게

삐끗

삐끗

어부

어부

게으름

게으름

예뻐

예뻐

어사또

어사또

꽃게

꽃게

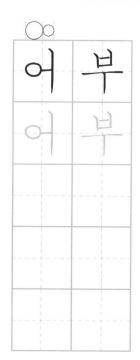

따라 쓰기

1 글 〈퐁퐁이와 툴툴이〉의 내용을 투명 종이 위에 따라 써 봅시다.

	퐁	퐁	이	와		툴	툴	이	
	숲		속	에		퐁	퐁	이	와	∨
툴	툴	이	라	는		두		개	의	∨
옹	달	샘	이		있	어	요	.	두	∨
옹	달	샘	에	는		종	달	새	의	∨
고	운		소	리	도		담	겨	
있	고	,	파	란		하	늘	도	
담	겨		있	어	요	.	
	바	람	이		후	루	룩		지
나	가	자	,	빨	간		단	풍	잎
이		옹	달	샘	에		떨	어	졌
어	요	.	

글씨 쓰기

1 꾸며 주는 말을 넣어 문장을 완성하여 봅시다.

보기

운동장에는 잔디가 깔려 있습니다.

⇒ 운동장에는 　푸른　 잔디가 깔려 있습니다.

(1) 태연이는 친구의 그네를 밀어 주었습니다.

⇒ 태연이는 친구의 그네를 　힘껏　 밀어 주었습니다.

(2) 아버지께서 연을 만들어 주셨습니다.

⇒ 아버지께서 　멋진　 연을 만들어 주셨습니다.

2 다음 그림을 보고, 빈칸에 들어갈 알맞은 말을 바르게 따라 써 봅시다.

아이들이 놀이터에서

　재미있게　

놀고 있습니다.

3 다음 글을 바르게 따라 써 봅시다.

노란	나비가	꽃밭 ∨
노란	나비가	꽃밭
위로	날아다닙니다.	
위로	날아다닙니다.	
꽃밭에는	예쁜	꽃
꽃밭에는	예쁜	꽃
이 활짝	피었습니다.	
이 활짝	피었습니다.	

모습·동작

1 다음 **보기**는 모습을 나타내는 말입니다. 그림을 보고, 그림에 알맞은 말을 **보기**에서 골라 빈칸에 써넣어 봅시다.

> **보기**
>
> 넓다   많다   높다   짧다

(1)

(2)

나무가 철봉보다 더 ☐☐ .

책이 연필보다 더 ☐☐ .

2 다음 문장을 바르게 따라 써 봅시다.

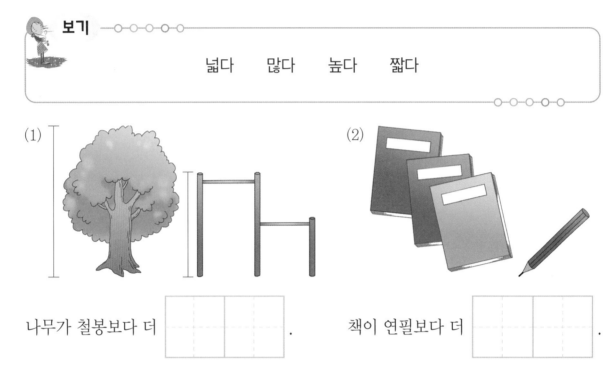

다	람	쥐	의		꼬	리	는
다	람	쥐	의		꼬	리	는
원	숭	이	의		꼬	리	보	다
원	숭	이	의		꼬	리	보	다
더		짧	습	니	다	.
더		짧	습	니	다	.

3 다음 그림을 보고, 동작을 나타내는 말을 바르게 따라 써 봅시다.

(1) 윤혁이가 학교에 | 걸 | 어 | 갑 | 니 | 다 | .

(2) 어머니께서 윤혁이에게 손을 | 흔 | 듭 | 니 | 다 | .

4 동작을 나타내는 말을 바르게 써 봅시다.

(1)

(2)

이	를		닦	다
이	를		닦	다

공	을		차	다
공	을		차	다

문장 쓰기

① 글 〈인사법〉의 내용을 바르게 써 봅시다.

	나	라	마	다		인	사	하	는	∨
법	이		다	릅	니	다	.			
	멕	시	코		사	람	들	은		
서	로		껴	안	으	며		인	사	
합	니	다	.	상	대	에	게		가	
까	이		다	가	가	서		서	로	

를　　힘껏　　껴안습니다.

그러고는　　큰소리로

반가움을　　나타냅니다.

　　사우디아라비아　　사

람들은　　뺨을　　대며

인사합니다.　상대에게 ∨

가까이 다가가서 서
로의 뺨을 가볍게
댑니다. 그러면서 서
로의 어깨를 두드리
며 반가움을 나타냅
니다.

1 다음 낱말을 낱자 사이의 간격에 유의하여 바르게 써 봅시다.

따 이 야

(1) 따뜻

(2) 이사

(3) 야호

2 다음 그림을 보고, 빈칸에 들어갈 알맞은 말을 바르게 따라 써 봅시다.

(1)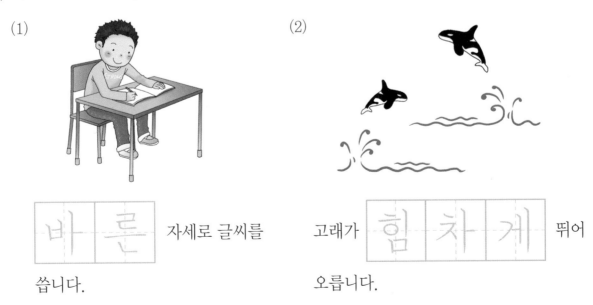

바른 자세로 글씨를 씁니다.

(2) 고래가 힘차게 뛰어 오릅니다.

놀며 생각하기

● 우리나라 속담을 알아봅시다.

가재는 게 편

같은 부류의 사람들끼리 서로 편을 든다는 뜻입니다.

그림의 떡

아무리 좋은 것이라도 실제로 사용하지 못하면 없는 것이나 마찬가지라는 뜻입니다.

남의 떡이 더 커 보인다.

다른 사람이 갖고 있는 것이 더 좋아 보인다는 뜻입니다.

4 겪은 일 쓰기

겪은 일을 일기로 써 봅시다.

※ '일기' 하면 떠오르는 낱말을 마인드맵의 구름 안에 써 봅시다.

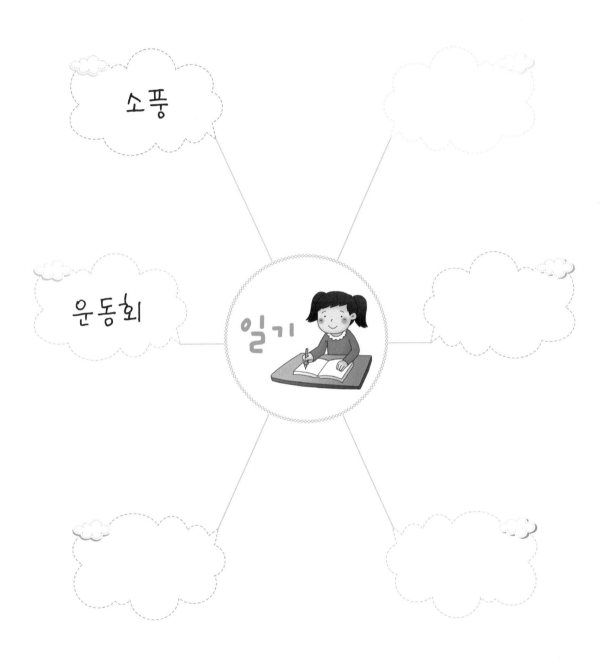

소풍

운동회

일기

'일기'하면 떠오르는 낱말을 하나씩 써 봅시다.
이런 것을 마인드맵이라고 합니다.

1 꽃의 이름을 바르게 써 봅시다.

장 미	장 미	장 미
국 화	국 화	국 화
백 일 홍	백 일 홍	
봉 선 화	봉 선 화	
카 네 이 션	카 네 이 션	
코 스 모 스	코 스 모 스	

낱말 쓰기

1 다음 그림이 나타내는 낱말을 바르게 써 봅시다.

동	화	책

비	행	기

기	차

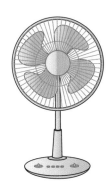

선	풍	기

운	동	화

양	말

2 다음 그림이 나타내는 낱말을 바르게 써 봅시다.

자	전	거

그	네

딸	랑	이

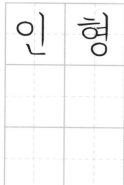

인	형

보	행	기

쪽	지

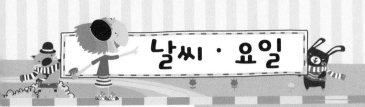

날씨 · 요일

1 날씨를 나타내는 말을 바르게 써 봅시다.

맑 음				
해	쨍	쨍		
뭉 게 구 름 이	둥	둥		
아 침	해 가	방	굿	
저 녁	비 가	주	르	룩
시 원 한	바 람	솔	솔	

2 요일을 나타내는 말을 바르게 써 봅시다.

월 요 일	월 요 일
화 요 일	화 요 일
수 요 일	수 요 일
목 요 일	목 요 일
금 요 일	금 요 일
토 요 일	토 요 일

따라 쓰기

① 글 〈수민이와 곰 인형〉의 내용을 투명 종이 위에 따라 써 봅시다.

	일	요	일		아	침	,	수	민
이	는		어	머	니	와		함	께	∨
방	을		정	리	하	였	습	니	다	.
정	리	하	다		보	니		쓰	지	∨
않	는		물	건	이		많	이	
나	왔	습	니	다	.		어	머	니	께
서	는		이		물	건	들	을	
상	자	에		담	으	려	고		하
셨	습	니	다	.					
	“	어	릴		때		쓰	던	
	장	난	감	과		인	형	은	
	다	시		가	지	고		놀	래
	요	.	”						

4. 겪은 일 쓰기　49

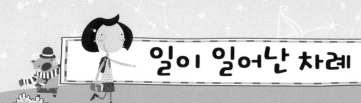 일이 일어난 차례

1 일이 일어난 차례를 나타내는 말 중 시간을 나타내는 말을 바르게 써 봅시다.

이	튼	날		아	침			
이	튼	날		아	침			
이	듬	해		봄				
이	듬	해		봄				
그	해		가	을				
그	해		가	을				
어	느		여	름	날			
어	느		여	름	날			

50 2단계

2 일이 일어난 차례를 나타내는 말 중 이어 주는 말을 바르게 써 봅시다.

그	리	고		그	리	고	
그	리	고					
그	러	나		그	러	나	
그	러	나					
그	래	서		그	래	서	
그	래	서					
그	러	므	로		그	러	므	로
그	러	므	로				

3 다음 그림을 보고, 이어 주는 말을 바르게 고쳐 써 봅시다.

너 어젯밤에 만화 봤어?

응. 난 만화를 정말 좋아해. 그러나 시간 맞춰 놓고 봤어.

그 러 나 ⇒ 그 래 서

4 다음 문장에서 이어 주는 말을 바르게 고쳐 다시 써 봅시다.

난 만화를 정말 좋아해. <u>그리고</u> 일찍 자느라 보지 못했어.

→ _____

1 은비의 일기의 내용을 바르게 써 봅시다.

	아	침	에		일	어	나		보
니		벌	써		8	시	였	다	.
어	제		만	화	책	을		읽	느
라	고		늦	게		자	서		그
랬	나		보	다	.			

2 병헌이가 현장 체험 학습을 다녀와서 쓴 글의 내용을 바르게 써 봅시다.

작	고		노	란		꽃	을	
작	고		노	란		꽃	을	

보	았	다	.	괭	이	밥	이	라	는	∨
보	았	다	.	괭	이	밥	이	라	는	

들	꽃	이	었	다	.	들	꽃		이
들	꽃	이	었	다	.	들	꽃		이

름	이		참		재	미	있	다	.
름	이		참		재	미	있	다	.

1 밑줄 친 부분이 바르게 쓰인 것에 ○표를 해 봅시다.

(1) ㉠ 태연이는 그림 그리는 것을 좋아한다. <u>그리고</u> 늘 미술 시간이 기다려진다. (　　　)

　ㄴ 태연이는 그림 그리는 것을 좋아한다. <u>그래서</u> 늘 미술 시간이 기다려진다. (　　　)

(2) ㉠ 윤혁이는 노래를 잘 부른다. <u>그러나</u> 운동을 잘 못한다. (　　　)

　ㄴ 윤혁이는 노래를 잘 부른다. <u>그래서</u> 운동을 잘 못한다. (　　　)

(3) ㉠ 다현이는 주스를 좋아한다. <u>그리고</u> 우유도 좋아한다. (　　　)

　ㄴ 다현이는 주스를 좋아한다. <u>그러나</u> 우유도 좋아한다. (　　　)

2 다음 낱말을 바르게 써 봅시다.

(1)

맑	음

(2)

뭉	게	구	름

(3)

둥	둥

(4)

소	풍

(5)

운	동	회

(6)

주	르	룩

(7)

솔	솔

(8)

이	튼	날

(9)

이	듬	해

다른 그림 찾기

다음 두 그림을 살펴보고, 다른 곳을 찾아 ○표를 해 봅시다.
(총 5부분이 서로 다릅니다.)

5 말놀이

말놀이를 하는 방법에 대하여 알아봅시다.

※ 다음은 학생들이 말놀이 중 말꼬리로 말 잇기 놀이를 하고 있는 모습입니다. 말놀이가 무엇인지 살펴봅시다.

 앞사람이 말한 낱말을 이어 가는 놀이를 말 잇기 놀이라고 합니다.

열 고개 놀이는 한 고개씩 차례로 읽으면서, 되도록 앞쪽 고개에서 문제를 맞추는 사람이 이기는 놀이입니다.

① 다음 **보기**에서 설명하는 책 제목은 무엇인가요? (한 고개씩 차례로 읽어 보세요.)

 보기

> 한 고개. 옛날 이야기입니다.
> 두 고개. 주인공은 형제입니다.
> 세 고개. 한 사람은 부자이고, 다른 한 사람은 가난합니다.
> 네 고개. 한 사람은 착하고, 다른 한 사람은 심술쟁이입니다.
> 다섯 고개. 책 제목은 형제의 이름입니다.
> 여섯 고개. 우리나라의 전래 동화입니다.
> 일곱 고개. 이야기 속에서 제비가 중요한 역할을 합니다.
> 여덟 고개. 두 형제 모두 박씨를 심습니다.
> 아홉 고개. 착한 동생이 심은 박에서는 '금은보화'가 나옵니다.
> 열 고개. 착한 동생은 제비의 다리를 바른 마음으로 고쳐 줍니다.

(1) 위 **보기**에서 설명하는 책 제목은 무엇인가요?

▶ _____

(2) 나는 몇 고개에서 책 제목을 맞추었나요?

▶ _____ 고개

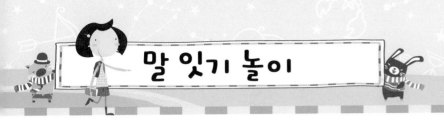

말 잇기 놀이

1 다음 **보기**와 같이 말머리로 말 잇기 놀이를 해 봅시다.

보기

가방 – 가위 – 가지 – 가을 – 가족

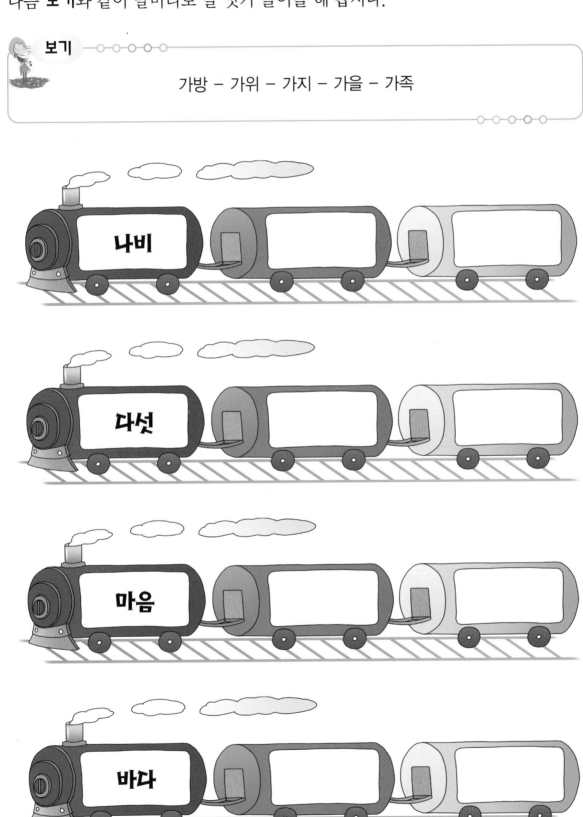

나비

다섯

마음

바다

2 말허리로 말 잇기 놀이를 해 봅시다.

❶ 세 글자로 이루어진 낱말로 채워야 합니다.
❷ 가운데 글자는 다음 낱말의 첫 글자가 됩니다.

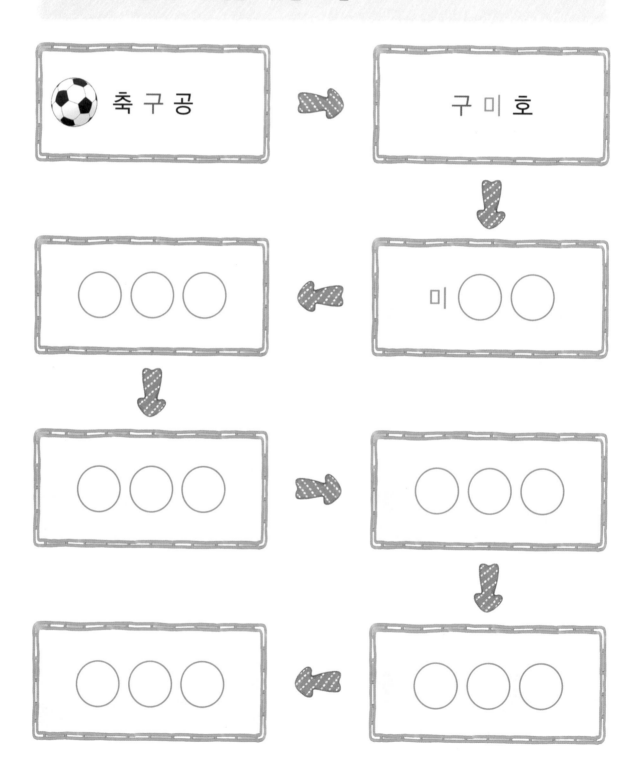

3 다음 **보기**와 같이 말꼬리로 말 잇기 놀이를 해 봅시다.

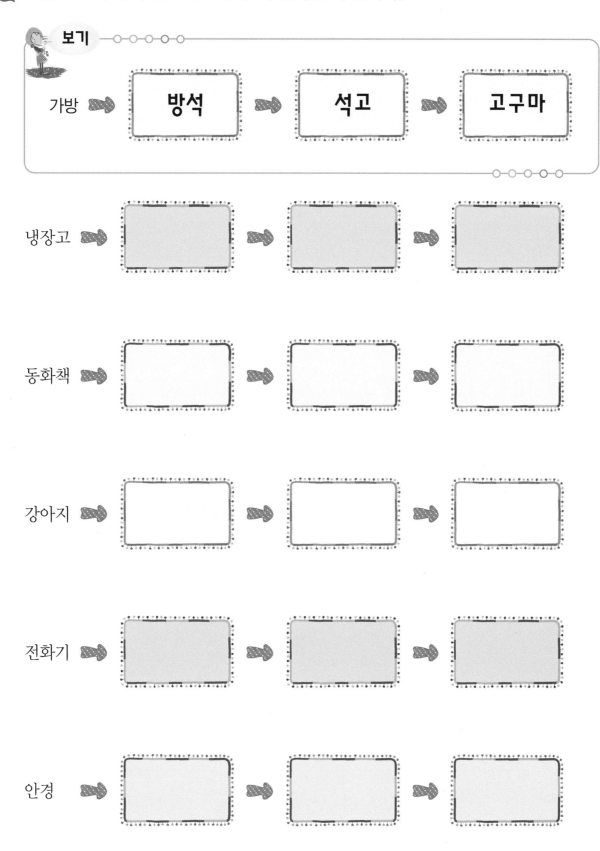

4 나라 이름으로 말꼬리로 말 잇기 놀이를 하며 바르게 써 봅시다.

그	리	스
그	리	스

스	위	스
스	위	스

스	웨	덴
스	웨	덴

덴	마	크
덴	마	크

수수께끼는 어떤 것에 대하여 바로 말하지 않고 빗대어 말하여 그 뜻이나 이름을 알아맞히는 말놀이입니다.

1 다음 **보기**와 같이 수수께끼를 풀어 봅시다.

보기

문제) 말은 말인데 타지 못하는 말은?

| 양 | 말 |

(1) 겉은 보름달, 속은 반달인 것은?

(2) 내 것이지만 남이 더 많이 사용하는 것은?

(3) 머리를 풀고 하늘로 올라가는 것은?

(4) 마셔도 마셔도 배부르지 않은 것은?

(5) 더우면 키가 커지고 추우면 키가 작아지는 것은?

(6) 다리로 올라가고 엉덩이로 내려오는 것은?

1 글 〈그림자밟기〉의 내용을 투명 종이 위에 따라 써 봅시다.

그림자밟기

　그림자밟기는　다른 ∨
사람의　그림자를　밟
는　놀이이다.　가위바
위보를　하여　술래를 ∨
정한다.　술래가　다른 ∨
사람의　그림자를　밟
으면　놀이에서　이기
게　된다.　술래에게
그림자를　밟힌　사람
은　다음　술래가　된
다.

1 글 〈꼬리잡기〉의 내용을 바르게 써 봅시다.

꼬	리	잡	기 는	같 은
줄 의		맨		앞 사 람 이
맨		뒷 사 람 을		잡 는
놀 이 이 다 .	이		놀 이 를 ∨	

하려면 먼저 여러

사람이 한 줄로 늘

어선다. 그리고 뒷사

람은 앞사람의 허리

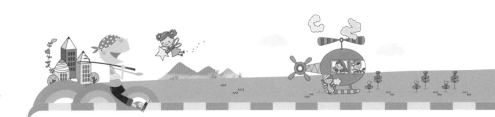

를 잡고 몸을 구부

린다. 맨 앞사람이

술래가 되어 맨 뒷

사람을 잡는다.

① 다섯 고개 놀이의 질문과 대답을 보고, 빈칸에 생각나는 것을 써넣어 봅시다.

	질문		대답
한 고개	살아 있나요?	➡	예, 살아 있습니다.
두 고개	날아다니나요?	➡	아니요, 걸어 다닙니다.
세 고개	몸집이 작은가요?	➡	아니요, 큽니다.
네 고개	이름이 몇 글자인가요?	➡	세 글자입니다.
다섯 고개	어떤 소리를 내나요?	➡	'어흥' 소리를 냅니다.

나는 무엇일까요? ☐ ☐ ☐

② 말허리로 말 잇기 놀이를 하며 낱말을 바르게 써 봅시다.

물방울 ➡ 방송국 ➡ 송아지

들국화 ⬅ 버들잎 ⬅ 아버지

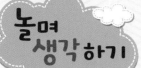

말 덧붙이기 놀이를 해 봅시다.

놀이방법

앞의 말을 반복하고 한 구절씩 새로운 낱말을 덧붙여야 합니다.

동물원에 가면
코끼리도 있고,

동물원에 가면
코끼리도 있고,
기린도 있고,

동물원에 가면
코끼리도 있고,
기린도 있고,
＿＿＿＿도 있고,

동물원에 가면
코끼리도 있고,
기린도 있고,
＿＿＿＿도 있고,
＿＿＿＿도 있고,

6 뜻이 다른 낱말

비슷해 보이지만 뜻이 다른 낱말을 알아봅시다.

※ 호랑이와 두꺼비의 대화에서 두꺼비가 잘못 사용한 낱말을 살펴보고, 낱
말의 뜻을 생각하여 봅시다.

불을 피울 때
부채질을 하면 좋아.

그래? 상식을
가리켜 주어서
고마워.

가 리 켜 ⇒ 가 르 쳐

두꺼비가 한 말에서 '가리켜'는 잘못 사용된 것입니다. 여기서는 '가
르쳐'로 바르게 사용해야 합니다. 왜냐하면 누군가에게 알려 주기 위해
설명하는 것은 '가르쳐 주다'이기 때문입니다.

① 두 친구의 대화를 참고하여 빈칸에 들어갈 알맞은 낱말을 바르게 따라 써 봅시다.

우리가 읽고 있는
책은 서로 종류가
틀려.

'책의 종류가 서로
다르다.'라고 표현
해야 해.

● 문제의 답이 │틀│리│다│.│   ● 책의 종류가 서로 │다│르│다│.│

문	제	의		답	이		틀	리
다	.		책	의		종	류	가		서
로		다	르	다	.			

책의 종류가 같지 않을 때에는 '다르다'라는 표현을 써야 합니다.
'틀리다'는 어떤 것이 맞지 않을 때 사용하는 말입니다.

❶ 다음 **보기**는 비슷해 보이지만 뜻이 다른 낱말입니다. **보기**를 참고하여 빈칸에 들어갈 알맞은 낱말을 바르게 따라 써 봅시다.

보기

작아요 : 어떤 물건의 크기가 비교하는 물건이나 보통보다 크지 않다.
적어요 : 어떤 수나 양이 많지 않다.

● 내 용돈이 형보다 | 적 | 어 | 요 | . ● 나는 키가 아주 | 작 | 아 | 요 | .

● 과자의 양이 너무 | 적 | 어 | 요 | . ● 살이 쪄서 옷이 | 작 | 아 | 요 | .

❷ 다음 문장을 바르게 써 봅시다.

내		용	돈	이		형	보	다	∨
적	어	요	.		나	는		키	가
아	주		작	아	요	.			

3 다음 **보기**와 같이 문장에서 알맞은 낱말을 골라 ○표를 해 봅시다.

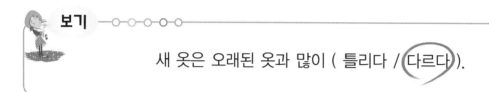

> **보기**
>
> 새 옷은 오래된 옷과 많이 (틀리다 /(다르다)).

(1) 선생님, 공부를 잘 (가르쳐 / 가리켜) 주셔서 고맙습니다.

(2) 색종이를 곱게 접어서 풀로 (부치면 / 붙이면) 예쁜 무늬가 돼.

(3) 태연아, 약속을 깜빡 (잊어버려서 / 잃어버려서) 미안해.

(4) 의자에 앉을 때에는 허리를 (반듯이 / 반드시) 펴야 합니다.

4 다음 문장을 바르게 써 봅시다.

공	부	를		잘		가	르	쳐	∨
주	셔	서		감	사	합	니	다	.
	허	리	를		반	듯	이		펴
야		합	니	다	.				

같은 소리의 낱말

1 다음 **보기**는 같은 소리가 나는 낱말입니다. **보기**를 참고하여 빈칸에 들어갈 알맞은 낱말을 바르게 따라 써 봅시다.

> **보기**
>
> 거름 : 식물이 잘 자라도록 흙에 주는 영양분
> 걸음 : 두 발을 번갈아 옮겨 놓는 동작

● 농부가 밭에 │거│름│을 준다.　　● 나는 빠른 │걸│음│으로 걷는다.

2 다음 낱말을 바르게 따라 써 봅시다.

(1) 손가락을　다치다.

　　문이　닫히다.

(2) 다리가　저리다.

　　배추를　절이다.

(3) 생선을　조리다.

　　마음을　졸이다.

(4) 화해를　시키다.

　　땀을　식히다.

3 다음 문장의 빈칸에 들어갈 알맞은 낱말을 **보기**에서 골라 써넣어 봅시다.

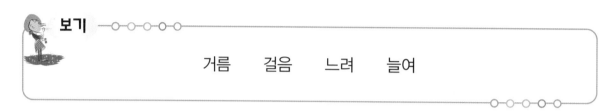

보기

거름   걸음   느려   늘여

(1) 자동차 속도가 너무 [ ][ ] .

자	동	차		속	도	가		너
무		느	려	.				

(2) [ ][ ] 을 주면 식물이 잘 자랍니다.

거	름	을		주	면		식	물
이		잘		자	랍	니	다	.

(3) 아기가 아장아장 예쁜 [　　] 으로 걸어갑니다.

아기가 아장아장

예쁜 걸음으로 걸어

갑니다.

(4) 엿가락을 [　　] 길게 만들었습니다.

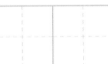

엿가락을 늘여 길

게 만들었습니다.

문장 쓰기

1 글 〈동물들은 어떻게 잘까요?〉의 내용을 바르게 써 봅시다.

황새는 부리를 깃

털 사이에 파묻고

다른 한쪽 다리는

접어서 깃털 사이에 ∨

넣습니다. 이렇게 하

면 몸의 열이 빠져

나가는 것을 줄일

수 있습니다. 황새는 ∨

추위로부터 몸을 보

호하기 위해 한쪽

다리로 서서 잡니다.

1 글 〈동물들은 어떻게 잘까요?〉의 내용을 투명 종이 위에 따라 써 봅시다.

기린도 서서 꾸벅
꾸벅 조는 듯이 잡
니다. 기린은 목과
다리가 길어 누웠다 ∨
일어나려면 한참 걸
립니다. 그러므로 누
워서 자다가 사자나 ∨
표범과 같은 적이
다가오면 매우 위험
합니다. 그래서 기린
은 적이 나타나면
빨리 도망가기 쉽게 ∨
서서 잡니다.

글씨 쓰기

❶ 모양은 같지만 뜻이 서로 다른 낱말인 '사과'가 대화 속에서 각각 어떤 뜻으로 사용되었는지 살펴봅시다.

민주야, 너의 사과를 마음대로 먹어서 미안해.

너의 사과를 받아 줄게.

지성이가 말한 '사과'는 '먹는 과일'이고, 민주가 말한 '사과'는 '용서를 구하는 것'입니다.

❷ 다음 문장을 바르게 따라 써 봅시다.

나	의		바	람	은		이	
무	더	위	를		식	힐		수
있	는		시	원	한		바	람 이 V
부	는		것	이	다	.		

1 다음 문장의 빈칸에 들어갈 알맞은 낱말을 골라 써넣어 봅시다.

(1) 나는 키가 아주  .

(적어요 / 작아요)

(2) 내 용돈이 형보다 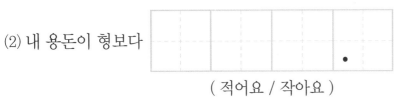 .

(적어요 / 작아요)

2 낱말과 그 낱말의 뜻을 알맞게 선으로 이어 봅시다.

(1) 느리다 •

(2) 늘이다 •

(3) 거름 •

(4) 걸음 •

• (가) 어떤 물건을 원래 크기보다 더 길게 하다.

• (나) 두 발을 옮겨 놓는 동작

• (다) 식물이 잘 자라도록 흙에 주는 영양분

• (라) 어떤 동작을 하는 데 시간이 오래 걸리다.

3 다음 문장에서 알맞은 낱말을 골라 ○표를 해 봅시다.

(1) 어머니께서 배추를 (절이고 / 저리고) 계신다.

(2) 나는 축구를 하고 땀을 (식혔다 / 시켰다).

6. 뜻이 다른 낱말   83

표지판을 알아봅시다!

ⓐ 다음 표지판의 뜻을 알아보고, 나만의 표지판을 만들어 봅시다.

자전거 전용 도로

정지(멈추세요)

장애인 전용

화장실

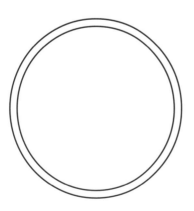

내가 만드는 표지판

★ 이 표지판에 어떤 뜻이 담겨
있나요?

_____

7 낱말의 관계

 뜻이 비슷한 낱말을 알아봅시다.

※ 다음 낱말은 서로 비슷한 뜻을 가진 것끼리 짝 지어져 있습니다. 뜻이 비슷한 낱말을 알아봅시다.

뛰다

달리다

굽히다

숙이다

※ 뜻이 비슷한 낱말을 바르게 따라 써 봅시다.

뛰다   달리다

굽히다   숙이다

 이 단원에서는 뜻이 비슷한 낱말과 반대인 낱말을 알아보고, 바르게 써 봅시다.

뜻이 비슷한 낱말

1 위쪽의 낱말과 뜻이 비슷한 낱말을 선으로 잇고, 바르게 써 봅시다.

(1)

(2)

(3)

•   •   •

•   •   •

(가)   (나)   (다)

빨	강	다

빛	깔

아	름	답	다

2 다음 중 '뛰다' 와 비슷한 뜻을 가진 낱말은 무엇인가요? (   )

① 걷다

② 느리다

③ 빠르다

④ 기다

⑤ 달리다

글씨 쓰기

1 다음 **보기**와 같이 뜻이 반대인 낱말을 바르게 써 봅시다.

같은 ⇔ 다른

(1) 작 다 ⇔ 크 다

(2) 많 다 ⇔ 적 다

(3) 먼 저 ⇔ 나 중

(4) 그 른 ⇔ 옳 은

(5) 가 볍 다 ⇔ 무 겁 다

2 다음 **보기**와 같이 뜻이 반대인 낱말을 바르게 써 봅시다.

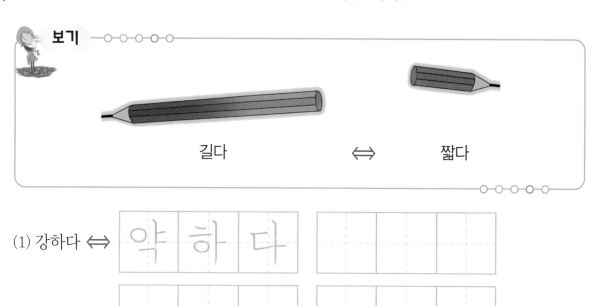

보기

길다   ⇔   짧다

(1) 강하다 ⇔ 약하다

(2) 깊다 ⇔ 얕다

(3) 주다 ⇔ 받다

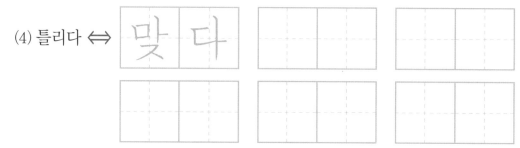

(4) 틀리다 ⇔ 맞다

1 글 〈푸른숲식물원〉의 내용을 투명 종이 위에 따라 써 봅시다.

우	리		푸	른	숲	식	물	원	
에	는		울	창	한		나	무	
사	이	로		오	솔	길	이		나 ∨
있	습	니	다	.		이	곳	에	오
면		전	나	무	,		잣	나	무 ,
소	나	무		향	을		맡	으	며 ∨
흙	을		밟	고		걸	으	실	
수		있	습	니	다	.			
	오	솔	길	이		끝	나	는	
곳	에		꽃		정	원	이		있
습	니	다	.	범	부	채	꽃	,	구
절	초	꽃	,		패	랭	이	꽃		등 ∨
들	꽃	이		있	습	니	다	.	

7. 낱말의 관계 89

글쓰기

1 글 〈고래가 물을 뿜어요〉의 내용을 바르게 써 봅시다.

고	래	는		종	류	마	다
고	래	는		종	류	마	다

독	특	하	게		물	을		뿜	어.
독	특	하	게		물	을		뿜	어.

그	래	서		물	을		뿜	는
그	래	서		물	을		뿜	는

모	양	만		보	아	도		어	떤	∨
모	양	만		보	아	도		어	떤	

고래인지 알 수 있
고래인지 알 수 있

지. 물을 가장 높이 ∨
지. 물을 가장 높이

내뿜는 고래는 대왕
내뿜는 고래는 대왕

고래야. 향고래는 비
고래야. 향고래는 비

스듬히 물을 뿜는단
스듬히 물을 뿜는단

다. 그리고 참고래는 ∨
다. 그리고 참고래는

물줄기가 두 줄기로 ∨
물줄기가 두 줄기로

뻗어 올라간단다.
뻗어 올라간단다.

① 〈푸른숲식물원〉을 다시 읽고, 낱말의 관계를 알아봅시다.

(1) 전나무, 잣나무, 소나무를 모두 포함하는 낱말은 무엇인가요?

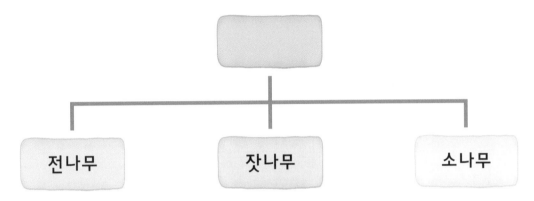

전나무   잣나무   소나무

(2) 꽃이라는 낱말에 포함되는 낱말은 무엇무엇인가요?

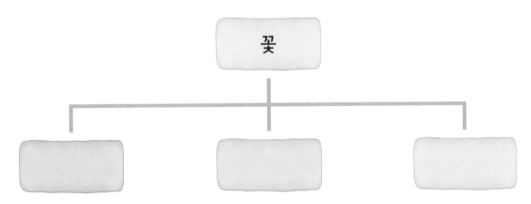

꽃

② 〈고래가 물을 뿜어요〉를 다시 읽고, 고래라는 낱말에 포함되는 낱말을 찾아 써 봅시다.

고래

3 다음 낱말과 비슷한 뜻을 가진 낱말을 알아보고, 낱말을 바르게 써 봅시다.

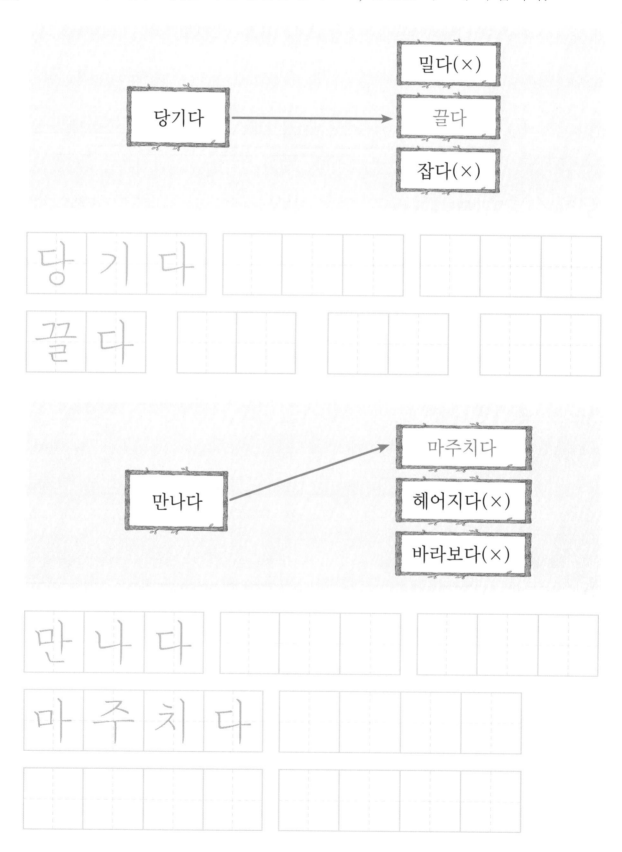

당기다 → 밀다(×) / 끌다 / 잡다(×)

당	기	다						

끌	다						

만나다 → 마주치다 / 헤어지다(×) / 바라보다(×)

만	나	다						

마	주	치	다					

1 글 〈개미 이야기〉의 내용을 바르게 써 봅시다.

먼	저		간		개	미	는
먼	저		간		개	미	는
나	중	에		올		개	미	가
나	중	에		올		개	미	가
길	을		잃	지		않	도	록
길	을		잃	지		않	도	록
냄	새	를		묻	히	며		기	어
냄	새	를		묻	히	며		기	어

갑니다. 뒤에 오는

개미들은 그 냄새를 ∨

맡으며 같은 길을

가게 됩니다.

❶ 다음 중 '당기다' 와 비슷한 뜻을 가진 낱말은 무엇인가요? (   )

① 밀다

② 갖다

③ 끌다

④ 옮기다

⑤ 움직이다

❷ 왼쪽의 낱말과 뜻이 반대인 낱말을 **보기**에서 골라 빈칸에 써넣어 봅시다.

보기

얕다   무겁다   약하다   짧다   크다   적다

(1) 길다 ⟺

(2) 작다 ⟺

(3) 가볍다 ⟺

(4) 깊다 ⟺

(5) 강하다 ⟺

(6) 많다 ⟺

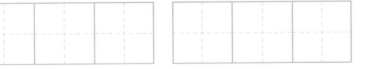

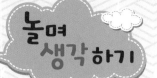

낱말 가족 알아보기

1 떠오르는 새의 이름을 써 봅시다.

앵무새

새

참새

2 떠오르는 과일의 이름을 써 봅시다.

사과

과일

8 부탁하는 글

높임법을 사용하여 바르게 써 봅시다.

※ 윤지가 '부모님께 부탁하는 글'을 쓰려고 하는 모습입니다. 윤지의 부탁하려고 하는 말을 살펴봅시다. 과연, 예의 바른 말인가요?

> 주말에 놀이동산에
> 놀러 가자고 부모님께
> 부탁해야지.
> "이번 주에 나들이 가면
> 좋겠어."라고 써야지.

※ "이번 주에 나들이 가면 좋겠어."를 높임말로 바꾸어 쓰면 다음과 같습니다.

		"	이	번		주	에		나	들
이		가	면		좋	겠	어	요	.	"

 부탁하는 글을 쓸 때에는 읽는 사람의 마음을 생각하여 예의 바르게 써야 하고, 부탁할 내용에 알맞은 까닭을 써야 합니다. 이 단원에서는 높임법과 부탁하는 글을 알아봅시다.

높임말 쓰기

1 다음 문장을 높임법을 사용하여 바르게 고쳐 써 봅시다.

(1) 주말에 야외로 나들이 가자.

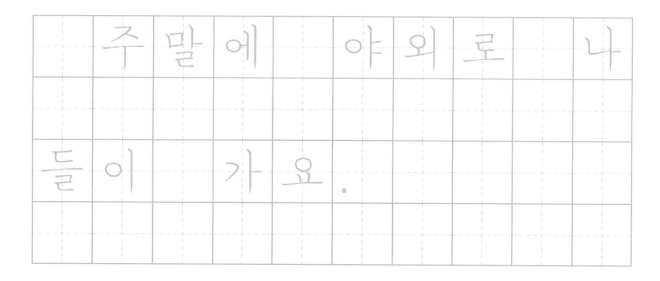

주	말	에		야	외	로		나
들	이		가	요	.			

(2) 단풍이 예쁘게 물들었다고 하는데 구경 가고 싶어.

단	풍	이		예	쁘	게		물
들	었	다	고		하	는	데		구
경		가	고		싶	어	요	.	

1 다음 부탁하는 내용의 글을 바르게 써 봅시다.

	친	구	들	아	,	쓰 레 기 를 ∨
버	릴		때		쓰	레 기 를
분	류	하	여		버	려 주 었
으	면		좋	겠	어	. 그 래 서 ∨
우	리		반	을		깨 끗 하 게 ∨
만	들	자	.			

바르게 옮겨 쓰기

❶ 다음은 '아이들에게 잔디에 들어가지 말 것을 부탁하는 편지'입니다. 이 편지를 바르게 옮겨 써 봅시다.

> 너희들이 공원에서 즐겁게 노는 것은 좋지만 잔디를 밟고 꽃을 꺾으면 다른 사람들이 그 예쁜 잔디와 꽃을 볼 수가 없단다. 그러니까 '잔디 보호'라고 적힌 곳에는 들어가지 말고 눈으로만 감상했으면 좋겠어.

너	희	들	이		공	원	에	서	V
즐	겁	게		노	는		것	은	
좋	지	만		잔	디	를		밟	고	V
꽃	을		꺾	으	면		다	른	
사	람	들	이		그		예	쁜	

102 2단계

잔디와 꽃을 볼 수
가 없단다. 그러니까 V
'잔디 보호'라고
적힌 곳에는 들어가
지 말고 눈으로만
감상했으면 좋겠어.

2 다음 글은 〈우리 반 또또 상자〉에서 지호가 친구들에게 부탁하고 싶은 말입니다. 이 문장을 바르게 옮겨 써 봅시다.

> 앞으로도 우리 반 친구들이 색종이를 함부로 버리지 않았으면 좋겠습니다.

우	리		반		또	또		상	자
앞	으	로	도		우	리		반	V
친	구	들	이		색	종	이	를	
함	부	로		버	리	지		않	았
으	면		좋	겠	습	니	다	.	

① 다음 편지 글의 내용을 투명 종이 위에 따라 써 봅시다.

	아	버	지	,	이	번		생	일	∨
선	물	로		자	전	거	를		사	∨
주	세	요	.							
	자	전	거	를		타	면		몸	
이		건	강	해	져	요	.	다	리	
도		튼	튼	해	지	고		팔	도	∨
튼	튼	해	져	요	.	몸	이		건	
강	해	지	면		공	부	도		잘	
할		수		있	어	요	.			
	아	버	지	,	자	전	거	를		
사		주	세	요	.					
					초	롱		올	림	

❶ 글 〈작은 것도 소중해〉의 내용을 바르게 써 봅시다.

십	원	짜	리	동	전	은 ∨
십	원	짜	리	동	전	은

작	아	보	이	지	만	모	이
작	아	보	이	지	만	모	이

면	그	것	으	로	할	수 ∨
면	그	것	으	로	할	수

있	는	일	이	많	다	고
있	는	일	이	많	다	고

생각하였습니다. 작은 ∨
생각하였습니다. 작은

것을　소중히　여기지 ∨
것을　소중히　여기지

않는　그　형에게　안
않는　그　형에게　안

타까운　마음이　들었
타까운　마음이　들었

습니다. 우리 모두

작은 것이라도 소중

히 여기는 마음을

가지면 좋겠습니다.

1 다음 문장을 높임법을 사용하여 바르게 고쳐 써 봅시다.

(1) 자동차처럼 움직이는 집이 있으면 좋겠어.

(2) 마당이 있는 집에서 살고 싶어.

2 다음 문장을 바르게 써 봅시다.

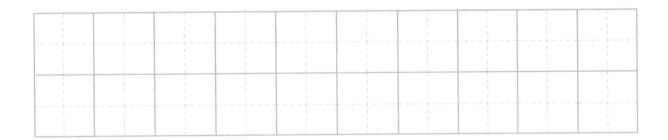

복	도	에	서		뛰	지		말
고		천	천	히		걸	읍	시	다 .

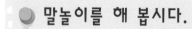

말놀이를 해 봅시다.

ⓐ 다음 문장을 빠르고 정확히 발음하며 친구와 말놀이를 해 봅시다.

간장 공장 공장장은 강 공장장이다.

된장 공장 공장장은 장 공장장이다.

내가 그린 기린 그림은 목이 긴 기린 그림이고,
네가 그린 기린 그림은 목이 안 긴 기린 그림이다.

들의 콩깍지는 깐 콩깍지인가 안 깐 콩깍지인가?

모범 답안

1 재미있는 말

13쪽

1. (1) 반짝반짝, (2) 새근새근
2. 어린아이가 엄마에게 쪼르르 달려간다.

2 낱자 익히기

18쪽

1. ①

19쪽

4. ①

27쪽

1. ②
2. ⑤
3. (1) 진흙, (2) 닦다, (3) 밟다

28쪽

고마워

3 꾸며 주는 말

36쪽

1. (1) 높다, (2) 많다

41쪽

1. (1) 따뜻, (2) 이사, (3) 야호
2. (1) 바른, (2) 힘차게

4 겪은 일 쓰기

43쪽

생일잔치, 달팽이 놀이, 줄넘기, 동물원, 물감
놀이, 장기 자랑, 축구, 야구 등

52쪽

4. 난 만화를 정말 좋아해. <u>그러나</u> 일찍 자느라
   보지 못했어.

55쪽

1. (1) ㉡, (2) ㉠, (3) ㉠
2. (1) 맑음, (2) 뭉게구름,
   (3) 둥둥, (4) 소풍, (5) 운동회,
   (6) 주르륵, (7) 솔솔,
   (8) 이튿날, (9) 이듬해

56쪽

5 말놀이

58쪽

1. (1) 흥부와 놀부

59쪽

• 나라, 나이, 나물, 나흘, 나뭇잎, 나들이 등

- 다리, 다음, 다행, 다짐, 다과, 다발 등
- 마늘, 마당, 마디, 마루, 마을, 마지막 등
- 바가지, 바늘, 바람, 바위, 바지, 바퀴 등

60쪽

- 미용사 → 용수철 → 수영장 → 영화관 → 화장실 → 장난감

61쪽

- 냉장고 → 고등학교 → 교실 → 실내
- 동화책 → 책가방 → 방송국 → 국물
- 강아지 → 지우개 → 개나리 → 리본
- 전화기 → 기분 → 분필 → 필통
- 안경 → 경찰관 → 관심 → 심부름

63쪽 ~ 64쪽

1. (1) 줄, (2) 이름, (3) 연기,
   (4) 공기, (5) 온도계,
   (6) 미끄럼틀

69쪽

1. 호랑이
2. 물방울 ➡ 방송국 ➡ 송아지 ➡ 아버지 ➡ 버들잎 ➡ 들국화

6 뜻이 다른 낱말

74쪽

3. (1) 가르쳐, (2) 붙이면,
   (3) 잊어버려서, (4) 반듯이

76쪽 ~ 77쪽

3. (1) 느려, (2) 거름,
   (3) 걸음, (4) 늘여

83쪽

1. (1) 작아요, (2) 적어요
2. (1) (라), (2) (가), (3) (다), (4) (나)
3. (1) 절이고, (2) 식혔다

7 낱말의 관계

86쪽

1. (1) (가), (2) (다), (3) (나)
2. ⑤

93쪽

1. (1) 나무
   (2) 범부채꽃, 구절초꽃, 패랭이꽃
2. 대왕고래, 향고래, 참고래

97쪽

1. ③
2. (1) 짧다, (2) 크다, (3) 무겁다,
   (4) 얕다, (5) 약하다, (6) 적다

8 부탁하는 글

109쪽

1. (1)

	자	동	차	처	럼		움	직	이
는		집	이		있	으	면		좋
겠	어	요	.						

(2)

	마	당	이		있	는		집	에
서		살	고		싶	어	요	.	

2.

	복	도	에	서		뛰	지		말
고		천	천	히		걸	읍	시	다

받아쓰기 급수 확인서

급수	점수	확인
1급	점	
2급	점	
3급	점	
4급	점	
5급	점	
6급	점	
7급	점	
8급	점	
9급	점	
10급	점	

급수	점수	확인
11급	점	
12급	점	
13급	점	
14급	점	
15급	점	
16급	점	
17급	점	
18급	점	
19급	점	

① 문장 부호와 띄어쓰기도 함께 정확히 공부합니다.

② 예쁘고 바른 글씨로 받아쓰기합니다.

③ ∨표시는 띄어 읽기를 표시하는 기호입니다. 그러므로 받아쓰기를 할 때에는 쓰지 않습니다.

받아쓰기 카드 활용 방법

① 받아쓰기 급수 확인서는 받아쓰기 공책 맨 뒷장에 붙입니다.

② 받아쓰기 카드는 선에 맞춰 예쁘게 자르고, 왼쪽 위에 구멍을 뚫어 둥근 클립을 끼워 사용합니다. (받아쓰기 카드를 코팅하면 구겨지지 않아요.)

③ 집에서 받아쓰기 연습을 하고 틀린 단어나 문장은 공책에 여러 번 읽고 쓰면서 익히도록 합니다.

스스로 생각하고 학습하는 단계별 글씨 연습
국어 교과서를 바탕으로 한 자기주도적 학습서

단계별 받아쓰기
따라 쓰기 미농지 삽입

최신판
바른 자세
글씨 쓰기

받아쓰기 카드

2
단계

중앙입시교육연구원

모음자

쓸 때	읽을 때	쓸 때	읽을 때
ㅒ	애	ㅚ	외
ㅒ	얘	ㅟ	워
ㅔ	에	ㅟ	위
ㅖ	예	ㅢ	의
ㅘ	와	ㅙ	왜

2급 재미있는말

❶	호랑나비 ∨ 호랑호랑
❷	봄이 ∨ 왔다 ∨ 호랑호랑
❸	꽃이 ∨ 폈다 ∨ 호랑호랑
❹	응원을 ∨ 하나 ∨ 봐요.
❺	박수를 ∨ 어디서 ∨ 배웠을까
❻	엄마에게 ∨ 쪼르르 ∨ 달려간다.
❼	지렁이가 ∨ 꿈틀꿈틀 ∨ 거리다.
❽	비가 ∨ 주룩주룩 ∨ 내리다.
❾	신이 ∨ 나서 ∨ 펄쩍펄쩍 ∨ 뛰다.
❿	꼬리를 ∨ 살랑살랑 ∨ 흔들다.

4급 꾸며 주는말

❶	꽃게
❷	삐꿋
❸	이를 ∨ 닦다.
❹	공을 ∨ 차다.
❺	손을 ∨ 흔듭니다.
❻	학교에 ∨ 걸어갑니다.
❼	노란 ∨ 나비
❽	꽃밭 ∨ 위로 ∨ 날아다닙니다.
❾	책이 ∨ 연필보다 ∨ 더 ∨ 많다.
❿	나무가 ∨ 철봉보다 ∨ 더 ∨ 높다.

1급 재미있는 말

❶	반짝반짝
❷	새근새근
❸	방긋 ∨ 웃는
❹	꽃잎마다 ∨ 송송송
❺	거미줄에 ∨ 옥구슬
❻	대롱대롱 ∨ 풀잎마다
❼	싸리잎에 ∨ 은구슬
❽	흙 ∨ 속의 ∨ 푸른 ∨ 새싹들이
❾	흙덩이를 ∨ 떠밀고
❿	영치기 ∨ 영차

자음자

쓸 때	읽을 때	쓸 때	읽을 때
ㄱ	기역	ㄲ	쌍기역
ㄴ	니은	ㄸ	쌍디귿
ㄷ	디귿		
ㄹ	리을	ㅃ	쌍비읍
ㅁ	미음	ㅆ	쌍시옷
ㅂ	비읍		
ㅇ	이응	ㅉ	쌍지읒

5급 꾸며 주는 말

❶	두 ∨ 개의 ∨ 옹달샘이 ∨ 있어요.
❷	종달새의 ∨ 고운 ∨ 소리도
❸	파란 ∨ 하늘도 ∨ 담겨 ∨ 있어요.
❹	바람이 ∨ 후루룩 ∨ 지나가자
❺	빨간 ∨ 단풍잎
❻	옹달샘에 ∨ 떨어졌어요.
❼	재미있게 ∨ 놀고 ∨ 있습니다.
❽	바른 ∨ 자세로 ∨ 글씨를 ∨ 씁니다.
❾	고래가 ∨ 힘차게 ∨ 뛰어오릅니다.
❿	예쁜 ∨ 꽃이 ∨ 활짝 ∨ 피었습니다.

3급 낱자 익히기

❶	까닭
❷	닭다
❸	밟다
❹	읽기책
❺	아주 ∨ 오랜 ∨ 옛날
❻	외딴 ∨ 마을에 ∨ 살았습니다.
❼	품삯을 ∨ 받고 ∨ 남의 ∨ 일을
❽	지극한 ∨ 정성으로
❾	지혜로운 ∨ 노인을 ∨ 찾아갔습니다.
❿	높고 ∨ 험한 ∨ 산을

6급 꾸며 주는 말

1. 인사하는 ∨ 법이 ∨ 다릅니다.
2. 상대방에게 ∨ 가까이 ∨ 다가가서
3. 서로를 ∨ 힘껏 ∨ 껴안습니다.
4. 큰 ∨ 소리로
5. 반가움을 ∨ 나타냅니다.
6. 서로의 ∨ 뺨을 ∨ 가볍게 ∨ 댑니다.
7. 어깨를 ∨ 두드리며
8. 푸른 ∨ 잔디가 ∨ 깔려 ∨ 있습니다.
9. 멋진 ∨ 연을 ∨ 만들어 ∨ 주셨습니다.
10. 그네를 ∨ 힘껏 ∨ 밀어 ∨ 주었습니다.

8급 겪은 일 쓰기

1. 물건들을 ∨ 상자에 ∨ 담으려고
2. 어릴 ∨ 때 ∨ 쓰던 ∨ 장난감
3. 작고 ∨ 노란 ∨ 꽃을 ∨ 보았다.
4. 괭이밥이라는 ∨ 들꽃이다.
5. 들꽃 ∨ 이름이 ∨ 참 ∨ 재미있다.
6. 어제 ∨ 만화책을 ∨ 읽으려고
7. 늦게 ∨ 자서 ∨ 그랬나보다.
8. 너 ∨ 어젯밤에 ∨ 만화 ∨ 봤어?
9. 시간 ∨ 맞춰 ∨ 놓고 ∨ 봤어.
10. 일찍 ∨ 자느라 ∨ 보지 ∨ 못했어.

10급 말놀이

1. 그림자를 ∨ 밟힌 ∨ 사람은
2. 다음 ∨ 술래가 ∨ 된다.
3. 꼬리잡기는
4. 같은 ∨ 줄의 ∨ 맨 ∨ 앞사람이
5. 맨 ∨ 뒷사람을 ∨ 잡는 ∨ 놀이이다.
6. 한 ∨ 줄로 ∨ 늘어선다.
7. 허리를 ∨ 잡고 ∨ 몸을 ∨ 구부린다.
8. 날아다니나요?
9. 몸집이 ∨ 작은가요?
10. '어흥' ∨ 소리를 ∨ 냅니다.

12급 뜻이 다른 낱말

1. 문이 ∨ 닫히다.
2. 손가락을 ∨ 다치다.
3. 다리가 ∨ 저리다.
4. 배추를 ∨ 절이다.
5. 생선을 ∨ 조리다.
6. 마음을 ∨ 졸이다.
7. 땀을 ∨ 식히다.
8. 화해를 ∨ 시키다.
9. 나는 ∨ 빠른 ∨ 걸음으로 ∨ 걷는다.
10. 농부가 ∨ 밭에 ∨ 거름을 ∨ 준다.

9급  말놀이

1. 옛날 ∨ 이야기입니다.
2. 다른 ∨ 한 ∨ 사람은 ∨ 심술쟁이입니다.
3. 우리나라의 ∨ 전래 ∨ 동화입니다.
4. 제비가 ∨ 중요한 ∨ 역할을 ∨ 합니다.
5. 박씨를 ∨ 심습니다.
6. 박에서는 ∨ '금은보화'가 ∨ 나옵니다.
7. 바른 ∨ 마음으로 ∨ 고쳐 ∨ 줍니다.
8. 그림자를 ∨ 밟는 ∨ 놀이이다.
9. 가위바위보를 ∨ 하여
10. 놀이에서 ∨ 이기게 ∨ 된다.

7급 겪은 일 쓰기

1. 맑음
2. 해 ∨ 쨍쨍
3. 이듬해 ∨ 봄
4. 이튿날 ∨ 아침
5. 뭉게구름이 ∨ 둥둥
6. 저녁 ∨ 비가 ∨ 주르륵
7. 노래를 ∨ 잘 ∨ 부른다.
8. 그러나 ∨ 운동은 ∨ 잘 ∨ 못한다.
9. 그림 ∨ 그리는 ∨ 것을 ∨ 좋아한다.
10. 늘 ∨ 미술 ∨ 시간이 ∨ 기다려진다.

13급 뜻이 다른 낱말

1. 자동차 ∨ 속도가 ∨ 너무 ∨ 느려.
2. 엿가락을 ∨ 늘여 ∨ 길게 ∨ 만들었습니다.
3. 예쁜 ∨ 걸음으로 ∨ 걸어갑니다.
4. 거름을 ∨ 주면 ∨ 식물이 ∨ 잘 ∨ 자랍니다.
5. 부리를 ∨ 깃털 ∨ 사이에 ∨ 파묻고
6. 누웠다 ∨ 일어나려면
7. 꾸벅꾸벅 ∨ 조는 ∨ 듯이 ∨ 잡니다.
8. 동물들은 ∨ 어떻게 ∨ 잘까요?
9. 한쪽 ∨ 다리는 ∨ 접어서
10. 너의 ∨ 사과를 ∨ 받아 ∨ 줄게.

11급 뜻이 다른 낱말

1. 부채질을 ∨ 하면 ∨ 좋아.
2. 상식을 ∨ 가르쳐 ∨ 주어서 ∨ 고마워.
3. 문제의 ∨ 답이 ∨ 틀리다.
4. 책의 ∨ 종류가 ∨ 서로 ∨ 다르다.
5. 내 ∨ 용돈이 ∨ 형보다 ∨ 적어요.
6. 나는 ∨ 키가 ∨ 아주 ∨ 작아요.
7. 잘 ∨ 가르쳐 ∨ 주셔서 ∨ 감사합니다.
8. 풀로 ∨ 붙이면 ∨ 예쁜 ∨ 무늬가 ∨ 돼.
9. 약속을 ∨ 깜빡 ∨ 잊어버려서
10. 허리를 ∨ 반듯이 ∨ 펴야 ∨ 합니다.

14급
낱말의 관계

① 끌다, 당기다
② 굽히다, 숙이다
③ 색깔, 빛깔
④ 붉다, 빨갛다
⑤ 예쁘다, 아름답다
⑥ 주다, 받다
⑦ 깊다, 얕다
⑧ 맞다, 틀리다
⑨ 강하다, 약하다
⑩ 가볍다, 무겁다

16급
낱말의 관계

① 고래가 ∨ 물을 ∨ 뿜어요.
② 고래는 ∨ 종류마다
③ 독특하게 ∨ 물을 ∨ 뿜어.
④ 물을 ∨ 뿜는 ∨ 모양만 ∨ 보아도
⑤ 어떤 ∨ 고래인지 ∨ 알 ∨ 수 ∨ 있어.
⑥ 비스듬히 ∨ 물을 ∨ 뿜는단다.
⑦ 물줄기가 ∨ 두 ∨ 줄기로 ∨ 뻗어
⑧ 흙을 ∨ 밟고 ∨ 걸으실 ∨ 수 ∨ 있습니다.
⑨ 꽃 ∨ 정원이 ∨ 있습니다.
⑩ 범부채꽃, 구절초꽃, 패랭이꽃

18급
부탁하는 글

① 작은 ∨ 것도 ∨ 소중해.
② 십 ∨ 원짜리 ∨ 동전은 ∨ 작아
③ 모이면 ∨ 그것으로 ∨ 할 ∨ 수 ∨ 있는
④ 일이 ∨ 많다고 ∨ 생각하였습니다.
⑤ 작은 ∨ 것을 ∨ 소중히 ∨ 여기지 ∨ 않는
⑥ 안타까운 ∨ 마음이 ∨ 들었습니다.
⑦ 우리 ∨ 모두 ∨ 작은 ∨ 것이라도
⑧ 소중히 ∨ 여기는 ∨ 마음을 ∨ 가지면
⑨ 마당이 ∨ 있는 ∨ 집에서 ∨ 살고 ∨ 싶어요.
⑩ 뛰지 ∨ 말고 ∨ 천천히 ∨ 걸읍시다.

틀리기 쉬운 받아쓰기
다시 살펴보기 ①

① 땀을 ∨ 식히다.
② 시간 ∨ 맞춰 ∨ 놓고 ∨ 봤어.
③ 깨끗이 ∨ 청소를 ∨ 합니다.
④ 흙덩이를 ∨ 떠밀고
⑤ 지렁이가 ∨ 꿈틀꿈틀 ∨ 거리다.
⑥ 예쁜 ∨ 꽃이 ∨ 활짝 ∨ 피었습니다.
⑦ 서로를 ∨ 힘껏 ∨ 껴안습니다.
⑧ 냄새를 ∨ 묻히며 ∨ 기어갑니다.
⑨ 분류하여 ∨ 버려 ∨ 주었으면
⑩ 잔디를 ∨ 밟고 ∨ 꽃을 ∨ 꺾으면

17급 부탁하는 글

1. 나들이∨가면∨좋겠어요.
2. 주말에∨야외로∨나들이∨가요.
3. 단풍이∨예쁘게∨물들었다고
4. 구경∨가고∨싶어요.
5. 아버지, 이번∨생일∨선물로
6. 자전거를∨사∨주세요.
7. 쓰레기를∨버릴∨때
8. 분류하여∨버려∨주었으면
9. 우리∨반을∨깨끗하게∨만들자.
10. 움직이는∨집이∨있으면∨좋겠어요.

15급 낱말의 관계

1. 먼저∨간∨개미는
2. 나중에∨올∨개미가
3. 길을∨잃지∨않도록
4. 냄새를∨묻히며∨기어갑니다.
5. 뒤에∨오는∨개미들은
6. 그∨냄새를∨맡으며
7. 같은∨길을∨가게∨됩니다.
8. 울창한∨나무∨사이로
9. 오솔길이∨나∨있습니다.
10. 전나무, 잣나무, 소나무∨향

틀리기 쉬운 받아쓰기 다시 살펴보기 2

1. 붉다, 빨갛다
2. 한∨줄로∨늘어선다.
3. 외딴∨마을에∨살았습니다.
4. 품삯을∨받고∨남의∨일을
5. 신이∨나서∨펄쩍펄쩍∨뛰다.
6. 풀로∨붙이면∨예쁜∨무늬가∨돼.
7. 그림자를∨밟는∨놀이이다.
8. 허리를∨반듯이∨펴야∨합니다.
9. 안타까운∨마음이∨들었습니다.
10. 물줄기가∨두∨줄기로∨뻗어

19급 부탁하는 글

1. 자전거를∨타면∨몸이∨건강해져요.
2. 다리도, 팔도∨튼튼해져요.
3. 공부도∨잘할∨수∨있어요.
4. 앞으로도∨우리∨반∨친구들이
5. 색종이를∨함부로∨버리지∨않았으면
6. 즐겁게∨노는∨것은∨좋지만
7. 잔디를∨밟고∨꽃을∨꺾으면
8. 잔디와∨꽃을∨볼∨수가∨없단다.
9. '잔디∨보호'라고∨적힌∨곳에는
10. 눈으로만∨감상했으면∨좋겠어.